sorts, s1
et catast

Eric Chevreau est né à Paris en 1970, et vit aujourd'hui à Londres. Il adore voyager, découvrir d'autres pays, et en ramener de petites histoires que ses deux garçons sont maintenant assez grands pour lire seuls. En attendant d'avoir le temps d'écrire la suite des aventures de Mordicus, il traduit des romans pour la jeunesse chez Bayard.

Frédéric Rébéna est né en 1965 à Clermont (dans le département de l'Oise). Après des études à l'E.N.S.A.D., il se tourne vers la bande dessinée. Illustrateur, il travaille essentiellement pour la presse, l'édition et la publicité. Il réalise également des pochettes de disques. Ses albums sont publiés aux éditions Syros, Nathan, Casterman, Albin Michel, Hachette, Le Seuil, Actes Sud, Bayard Jeunesse et Tourbillon.

Du même illustrateur dans Bayard Poche :
Caramilulu, la sorcière si pressée (Les belles histoires)
Le blouson déchiré - La dispute des sorcières (J'aime lire)

Sorts, stress et catastrophes

Une histoire écrite par Éric Chevreau
illustrée par Frédéric Rébéna

BAYARD POCHE

1
Ça commence mal

En partant chez Mamie dans notre vieux Star Wagon déglingué, moi, Mordicus, j'ai tout de suite senti la tension monter entre mes parents. Maman a dit à papa :

– Je te préviens, Septimus, une seule critique envers ma mère ou sa tarte au potiron, et ce sera la guerre, foi de sorcière !

Papa a fait grincer ses dents ainsi que le
levier de vitesses. Puis il a changé de sujet.
Dans sa barbe taillée en pointe, il a grommelé :

    – Il faut vraiment faire réviser le Star Wagon.
Tu peux t'en occuper, Octavia ?

    – Pourquoi pas toi ? a répondu maman.

    – Parce que j'ai trop de travail, moi !

    – Et moi, alors, je ne fais rien, peut-être ?

    Là, j'ai vu les mâchoires de Papa se durcir et
ses doigts se contracter sur le volant. Il a mar-
monné :

    – N'en parlons plus, je passerai au garage
demain, après mon dernier client.

Papa est ensorceleur-désenvoûteur. On l'appelle sans arrêt pour dépanner les sorciers accidentés : chutes de balais, mauvais sorts ultrarésistants, empoisonnements... Maman, elle, écrit des livres très compliqués de formules magiques. Mais, comme elle travaille à la maison, papa oublie toujours qu'elle aussi est très occupée.

Maman a poursuivi :

– Si je comprends bien, tu ne seras pas là pour dîner, une fois encore…

Aïe ! J'ai bien cru que papa allait lui jeter un sort de silence définitif en la transformant en carpe ou en pierre tombale. Mais comme on arrivait chez Mamie, il a préféré se concentrer sur l'atterrissage.

2
Un papa surmené

Mamie n'aime pas les jardins. Elle a transformé le sien en marécage. Elle nous attendait sur le pas de la porte. Basile et Odile, les deux crocodiles apprivoisés, m'ont fait la fête. Tandis que Mamie et maman échangeaient des potins de sorcières, je suis resté dehors pour donner à manger aux crocos.

C'est à table que tout a éclaté. Papa n'a pas pu retenir un soupir en voyant la tarte au potiron se poser au milieu de la table.

Maman l'a fusillé du regard. Pour finir, Mamie a eu un mot malheureux :

– Alors, Septimus, il paraît que vous êtes tout raplapla en ce moment ? Attention au surmenage…

Maman m'a déjà expliqué : le surmenage, c'est quand on travaille trop.

Papa avait promis de ne s'attaquer ni à Mamie ni à la tarte au potiron. Fatalement, il s'en est pris à moi.

Comme je venais de recracher dans mon assiette une bouchée de tarte brûlante, il a hurlé :

– Mordicus ! Tu manges vraiment comme un...

Maman a crié pour empêcher le sort de transformation :

– Septimus, nooon !

– ...cochon !

Trop tard ! J'ai louché vers mon nez devenu un affreux groin tout poilu.

Comble d'horreur, j'ai vu dans la glace une petite queue en tire-bouchon percer mon pantalon. J'ai poussé des couinements de porc qu'on égorge :

– Au secouiiik, je suis devenu un gr... gronk... cochon !

En tombant de ma chaise, je me suis cogné contre un meuble. Dans ma chute, j'ai entraîné nappe et couverts. Autour de moi, c'était la panique ! Maman criait :

– Septimus, ne reste pas planté là, fais quelque chose !

Mamie était affolée :

– La formule ! La formule !

Papa a bredouillé :

– Je... je l'ai oubliée, laissez-moi me concentrer ! Ah ! ça y est : « Andouille et jambon, que soit défait ce vilain tour de cochon, redeviens petit garçon ! »

Pouf ! J'ai retrouvé ma forme humaine. Quel bonheur d'échanger deux pieds de cochon contre dix doigts !

Le retour à la maison a été très calme. À peine arrivé, Papa a semblé presque soulagé d'être appelé en urgence pour une explosion de chaudron chez un alchimiste du dimanche. Même cette vieille teigne de Sakapus, notre vieux chat noir, a flairé la dispute. Il a préféré se planquer en boule sous le canapé.

Le soir, maman est venue me border dans mon lit. Elle en a profité pour me consoler :

– Tu sais, ton père ne l'a pas fait exprès. Il est désolé de t'avoir effrayé. Il est tellement fatigué...

C'est vrai ! Depuis qu'il est surmené, papa est complètement détraqué. À chaque fois qu'il me donne un petit surnom, gentil ou non, je me retrouve aussitôt transformé.

J'ai soupiré :

– Pourquoi il ne change pas de métier ?

15

– Ce n'est pas si simple… a tenté d'expliquer maman. Ton papa aime beaucoup ce qu'il fait.

– Plus que moi, alors…

– Mais non, gros bêta ! Allez, dors, maintenant.

Maman a éteint la lumière et m'a laissé ruminer mes idées noires.

3
La potion

Le lendemain, à l'école, j'ai eu un 4 sur 20 en Transformation. Je n'avais pas appris correctement mes formules. Du coup, dans l'exercice 1, le hanneton s'est transformé en hameçon. Dans l'exercice 2, le cafard est devenu un canard et la chenille du troisième exercice s'est changée en chemise. J'ai bien fait rire toute la classe.

Mais, le soir, papa, lui, n'a pas du tout rigolé quand je lui ai annoncé ma note :

– Enfin, Mordicus, à quoi pensais-tu ? Tu sais bien qu'un mot de travers, et toute la formule est par terre ! Continue comme ça si tu veux devenir un âne bâté !

Ma seule réponse a été un braiment déchirant :

– Hi-haaan !

Maman est intervenue :

– Septimus, tu es trop dur avec lui ! Rends-lui immédiatement son apparence !

– Ce n'est pas en étant chouchouté ainsi qu'il fera des efforts, Octavia ! a répliqué papa. Que cela lui serve de leçon !

– Mais… hi-han… je ne l'hi-han pas f… hihan exprès…

– Pas de larmes de crocodile, s'il te plaît, j'ai horreur qu'on pleurni…iiih ! Octaviaaa !

– Ah, bravo ! Tu l'as changé en caïman, à présent. Voilà qui te servira de leçon !

Papa a juste eu le temps de grimper sur le canapé et de bafouiller la formule d'inversion... Sinon, je crois que je l'aurais croqué tout rond, tellement j'étais furieux. La situation ne pouvait plus durer ! Il fallait que je fasse quelque chose pour aider papa à changer...

Le lendemain, après les cours, j'ai eu une idée. C'était bientôt la fête des pères : l'occasion rêvée de lui faire une drôle de surprise ! Je me suis précipité à la bibliothèque avec mon ami Motus. Nous avons consulté deux ou trois grimoires avant de trouver ce que je cherchais :

– « Potion calmante pour sorcier surmené ». Exactement ce qu'il me faut !

Motus a fait la grimace :

– Oui, mais regarde : il est écrit que tu dois y mettre des feuilles de lotus et de nénuphars...

Où trouver ces feuilles-là ? Sûrement pas entre les poils d'un balai. Ah, mais... bien sûr ! Dans le marécage de Mamie, c'est un vrai paradis pour plantes aquatiques. Ce serait le diable si je n'y trouvais pas mon bonheur...

Au petit matin, j'ai quitté mon lit sans faire de bruit. Le jour était à peine levé. Papa et maman dormaient encore. Arnaud, mon crapaud, ronflait également.

Je détestais l'idée de fuir comme un voleur. Ça aurait été plus simple de demander à papa de m'emmener chez Mamie... Mais il aurait fallu que j'explique tout, et il n'y aurait plus eu de surprise. En me dépêchant, je pouvais être rentré pour le petit déjeuner.

Mon BTT, mon Balai Tous Temps dernier modèle, m'a propulsé en quatrième vitesse chez Mamie. Tout à coup, une sonnerie a retenti dans ma tête : on m'appelait au télesprit.

C'était mes parents qui s'étaient levés plus tôt que prévu et qui étaient inquiets de ne pas me trouver au lit ! J'ai hésité à répondre mais, en laissant sonner, je risquais d'attraper une migraine terrible. La voix de papa a éclaté dans mon cerveau :

– Mordicus, où es-tu ? Qu'est-ce qui te prend de nous faire des frayeurs pareilles ?

Juste au moment où j'ouvrais la bouche pour m'expliquer, papa m'a coupé tout net :

– Allons, ma grenouille, réponds !

La communication s'est aussitôt interrompue. J'ai vu avec horreur mes bras se transformer en deux pattes gluantes et mon corps rétrécir aux dimensions d'un batracien, verdâtre et visqueux. Je me suis senti glisser le long du balai. J'ai essayé de crier :

– Au sec... croâ !

J'ai lâché prise et je suis tombé...

4
Fait comme un rat

Heureusement, une espèce de grosse mare a amorti ma chute. J'ai atterri (amerri, plutôt) avec un « plouf » sonore.

Je me suis hissé péniblement sur... un nénuphar. À peine sauvé, j'ai vu émerger de l'eau quatre yeux jaunes, aux reflets rougeâtres. Ces yeux-là, je les reconnaîtrais entre mille : ceux de Basile et Odile. Pas possible ! J'étais tombé dans le marécage de Mamie...

27

Un claquement de mâchoires m'a fait bondir de terreur. J'ai hurlé :

– Basile, Odile, c'est moâââ!

Bien entendu, ils ne reconnaissaient pas ma voix. Vite, j'ai sauté de nénuphar en nénuphar jusqu'à la maison.

Sous la véranda, Mamie était assise, en train de lire un article de *Sorcière déco*. J'ai cabriolé comme un fou à ses pieds pour attirer son attention. Enfin, elle m'a aperçu... et a poussé un cri déchirant :

– Hiiiii ! Hoooo ! Une grenouille !

Horreur ! J'avais oublié que Mamie était allergique aux batraciens.

Elle s'est emparée de son balai et m'a pourchassé dans toute la maison en donnant de grands coups à droite et à gauche.

Je me suis réfugié sous un meuble en tremblant et en coassant.

Tandis que Mamie tentait de me débusquer,
je réfléchissais : reprendre forme humaine ?
Trop dangereux ! Doué comme je l'étais,
j'avais plus de chances de me transformer en
caleçon qu'en garçon ! J'étais vraiment fait
comme un rat...

Un rat ! La voilà, la solution ! Un rat pouvait
se glisser rapidement au dehors ! Et puis, je
connaissais par cœur la formule : j'avais dû la
recopier soixante-six fois après mon dernier
contrôle raté en Transformation.

J'ai chantonné la formule qui pouvait me sauver :

– Rond et rond, petit pataron... euh ratapon, qu'illico je sois changé en raton.

Et pouf ! J'ai couiné de joie en louchant vers mes moustaches toutes neuves. J'ai quitté ma cachette.

Mamie m'a regardé avec des yeux ronds. Elle qui croyait pourchasser une grenouille, voici qu'elle délogeait... un rat ! Comprenant enfin qui j'étais, elle a murmuré :

— Mordicus... c'est toi ?

J'étais sauvé.

5
La recette de Mamie

Mamie a prévenu papa et maman pour les rassurer. Après m'avoir rendu mon apparence humaine, elle m'a servi sa tisane de queues de souris. Je me suis remis lentement de mes émotions. J'avais un peu peur de la réaction de papa quand il arriverait.

Mamie m'a demandé :

– Mais pourquoi t'es-tu sauvé de la maison, bougre de griffon à poils longs ?

Un peu gêné, j'ai évoqué mon idée de potion pour la fête des pères :

– Il me manquait deux ingrédients pour la potion.

– La potion ? Quelle potion ?

– Une potion calmante, pour lutter contre le surmenage… J'ai besoin de feuilles de lotus et de nénuphars.

Mamie a éclaté de rire :

– Nom d'une vieille passoire, tu as trouvé cette formule dans un vieux *Mensuel du sortilège* ? C'est complètement ringard !

Mamie s'est levée pour farfouiller dans sa bibliothèque.

– En revanche, je crois bien avoir quelque part... Mais où donc l'ai-je mis... ?

Mamie a continué de fouiller tout en poussant d'affreux jurons. Papa dit toujours qu'à mâcher de telles grossièretés à longueur de journée, elle finira par avoir plus mauvaise haleine que Basile et Odile réunis. Moi, je trouve assez amusant d'avoir une Mamie qui dit des gros mots.

Finalement, elle m'a tendu un gros livre :

– Tiens ! Regarde dans ce grimoire. Ce serait bien le diable si tu n'y trouvais pas ton bonheur.

J'ai jeté un œil à la couverture et j'ai lu : « Potions et formules pour la fête des pères ». Je l'ai feuilleté. À la page 35, j'ai trouvé ce que je cherchais et je me suis exclamé :

– « Transformer son père en papa poule aimant et attentif ». Voilà ce qu'il me fallait !

Potions et formules pour la fête des pères

Transformer son père en papa poule aimant et attentif

XXXV

Mamie m'a pris le livre des mains et a
parcouru la formule en plissant les sourcils :

– Hmm... Tu n'as pas choisi la plus facile. Il y
a des risques... Tu es sûr que c'est ce que tu
veux ?

– Certain ! Papa dit toujours que la facilité ne mène à rien, qu'il faut savoir prendre des risques pour réussir !

– Bon, si tu penses que ça en vaut la peine... Allez, reprends une poignée de ces délicieux doigts de fées au chocolat, Mordicus. Ils sont tout frais de ce matin. Ensuite, je t'aiderai à fabriquer la potion. Deux solutions valent mieux qu'une...

6
Un vrai papa poule

Le dimanche suivant, nous étions tous réunis à la maison pour la fête des pères. Papa avait eu très peur pour moi lors de ma petite escapade et il semblait décidé à se montrer gentil. La preuve : il ne fit pas la grimace devant l'inévitable tarte au potiron apportée par Mamie.

Au dessert, – une glace à la crevette –, j'ai offert à papa une bouteille de parfum remplie de la potion de Mamie. Au moment où il s'en est vaporisé, j'ai récité la formule pour que le sort se réalise. Je l'avais longuement répétée. Je me suis levé et j'ai entonné :

– Nerfs en boule, boule de nerfs, papa pas cool, sois un papa poule !

Oh là là ! J'avais encore de sacrés progrès à faire : papa est tombé de sa chaise. Lorsqu'il s'est redressé sur ses deux jambes, ou plutôt ses deux pattes, il a tendu son cou de poulet d'un air furieux et s'est mis à voleter autour du salon.

Sakapus, qui ne supporte pas la moindre
créature à plumes, a sorti ses griffes en jetant
un feulement terrifiant. Il s'est lancé à la pour-
suite de la poule, qui poussait des
« cot cot codeeeec » déchi-
rants en dodelinant
de la tête.

Maman s'est jetée sur Sakapus et l'a cloué au sol. Elle s'est tournée vers moi pour hurler :

– Mordicus, mais qu'est-ce qui t'a pris ? Fais quelque chose !

Enfin, j'ai réagi. J'ai essayé d'inverser la formule… Comme dans un rêve, je me suis entendu prononcer d'une voix sûre :

– Papa poule, papa pas cool, boule de nerfs et nerfs en boule, redeviens papa !

Je n'arrivais pas à le croire : papa avait retrouvé son apparence habituelle. Bien sûr, il était encore sonné et roulait des yeux emplis d'effroi.

Enfin, son regard s'est posé sur moi :

– Mordicus… mais où as-tu trouvé cette formule ? Pas à l'école, tout de même !

Mamie a plongé la tête dans son assiette pour étouffer un gloussement. J'étais un peu honteux. J'ai réalisé que les choses auraient pu mal tourner. Mais, après tout, ce n'était que justice : moi aussi, j'avais bien failli finir dans la gueule de Basile et Odile quand j'étais une grenouille !

Les larmes aux yeux, je me suis défendu :

– Je voulais juste te changer un peu...

Mon père esquissa un sourire :

– Mais de là à me transformer en poule...
quand même ! Je me demande d'où t'est venue
une idée si soudaine...

Mamie a pris ma défense :

– Il y a au moins une chose positive dans cette
histoire, mon cher Septimus : Mordicus a fait
preuve de beaucoup de sang-froid. N'est-ce pas
la qualité d'un futur grand sorcier ?

La sonnerie du téléphone a interrompu
Mamie. C'était un appel en urgence
pour papa : un apprenti
sorcier « réintégré »
dans un mur. Papa
a hésité.

Finalement, il a répondu :

– Désolé, ce n'est pas possible aujourd'hui. Je suis sûr que vous trouverez quelqu'un d'autre. Mon fils m'a préparé une fête que je ne veux pas manquer.

– Ça, a ricané Mamie, pour être votre fête, c'est votre fête...

– Pardon ? a dit Papa en raccrochant.

– Je disais : encore un peu de glace à la crevette ?

Papa a décidé qu'il valait mieux être sourd et a tendu son assiette :

– Après tout, vous avez raison, Mamie : des progrès aussi soudains en tarte au potiron... euh, en Transformation, ça se fête !

Achevé d'imprimer en janvier 2006 par Oberthur Graphiqu
35000 RENNES – N° Impression : 6809
Imprimé en France